From the Library of:
Daniel Thau Teitelbaum, M.D.

Physician, Rabbi, Photographer, Printmaker
Hamilton College, Class of 1956

Les Séeberger

l'aventure de trois frères
photographes au début du siècle

Les Séeberger

l'aventure de trois frères
photographes au début du siècle

JEAN-CLAUDE GAUTRAND

« Les poches du patrimoine photographique »
Ministère de la Culture
Mission du patrimoine photographique

Editions La Manufacture

Le fonds Séeberger est conservé par la Mission du patrimoine photographique
(Service des archives photographiques) au ministère de la Culture (Direction du patrimoine).

© Ministère de la Culture, France, pour les photographies.
Toute demande d'utilisation et de reproduction de photographies
des frères Séeberger doit être adressée au :
Service photographique de la Caisse nationale des
monuments historiques et des sites, 4, rue de Turenne, 75004 Paris.

© LA MANUFACTURE / Ministère de la Culture
France, 1995 104 Rue Tronchet 69006 Lyon
ISBN 2-7377-0394.8

LES SÉEBERGER DE LA
PREMIÈRE GÉNÉRATION (1898-1939)

Du dessin à la photographie

Alors qu'à la fin du XIXᵉ siècle l'essor industriel et commercial de la photographie en démocratise la pratique stéréotypée, un mouvement artistique se développe en quelques années en Europe puis aux Etats-Unis : le pictorialisme. Le Linked Ring Brotherhood est créé en 1892, rassemblant notamment Frederick Evans, Alfred Stieglitz, Edward Steichen, Clarence White. Le Photo-Club de Paris voit le jour en 1894, avec Robert Demachy, Constant Puyo, Le Bègue. A l'exactitude nette et précise, les têtes de file de ce mouvement préfèrent les expressions sensibles, les effets vaporeux, les références à la peinture : ils renoncent au réalisme. Des querelles esthétiques éclatent entre « flouistes » et « nettistes ». Les uns interprètent l'image d'origine, la transforment pour lui donner l'apparence d'un fusain, d'un lavis, d'une eau-forte. Les autres se refusent à toute manipulation et ne veulent entendre parler ni de gomme bichromatée ni de tirage au charbon.

Face au pictorialisme esthétisant qui occupe alors le devant de la scène, des photographes affirment leur quête de l'instantané rendu possible par l'invention récente des plaques au gélatino-bromure et par l'apparition sur le marché d'appareils portatifs, voire miniaturisés. « Photo-jumelles », « détectives » et appareils pliants font la joie des amateurs friands de scènes de genre et d'intantanés pittoresques de la vie des rues... Pour la plupart, consciencieux praticiens, ils resteront plongés dans l'anonymat, quand bien même certaines de leurs images profitent de la vogue nouvelle des journaux illustrés pour être publiées. Quelques-uns sortiront de l'oubli : Louis Vert, Paul Géniaux, Petitot et, modeste entre tous, celui qui ne se voudra jamais que « simple documentaliste » et qui ne connaîtra qu'une gloire posthume : Eugène Atget.

Il nous plaît d'imaginer qu'Atget, peintre devenu photographe, a pu croiser, chargé de son lourd matériel, un grand monsieur portant fièrement moustache, dessinateur sur étoffes de profession, déambulant lui aussi dans Paris avec son appareil portable 13 × 18 : Jules Séeberger. La première photo connue de ce dernier date en effet de 1898. Elle immortalise un porteur d'eau rencontré rue des Saules, tout en haut du village de Montmartre, récemment rattaché à la capitale. En dépit des brumes — naturelles — qui estompent l'horizon, cette image ne s'inscrit pas dans l'univers pictorialiste. Elle correspond à une vision certes romantique mais déjà néoréaliste dans l'esprit. Face à Atget désormais professionnel à part entière, un amateur passionné découvre — à contre-courant en quelque sorte — l'une des grandes voies de la photographie. Il est à l'origine d'une véritable saga familiale : celle des Séeberger qui, pendant deux générations, vont marquer de leur empreinte l'histoire photographique du début du XXᵉ siècle.

Jules Séeberger est né à Vienne, dans l'Isère, en 1872, d'un père bavarois, Jean-Baptiste[1], qui, après avoir épousé à Saint-Galmier en 1869 une jeune veuve, Madame Vautrin, déjà mère d'une petite Félicie, va s'installer comme employé de commerce à Lyon où naîtront ses trois fils : Louis en 1874, Henri en 1876 et Claudius en 1878, qui décédera en pleine jeunesse en 1895. C'est donc dans cette ville de Lyon que les trois frères Séeberger commencent leurs études secondaires jusqu'à ce que leur père soit dans l'obligation professionnelle de « monter » à Paris où il emménage boulevard Barbès,

Les frères Séeberger, sans date. De gauche à droite :
Henri (1876-1956), Louis (1874-1946), Jules (1872-1932).

avant d'opter pour un bel appartement au 13, rue Fénelon, à deux pas de la place La Fayette.

Là, Jules et ses frères achèvent leurs études au lycée Rollin. Tous trois sont possédés du désir de peindre et de dessiner. Ils suivent les cours de dessin appliqué au sein de l'école Bernard Palissy. Ils s'y distinguent : dans les archives familiales, sont conservés quelques-uns de leurs dessins, d'une grande délicatesse de trait, rehaussés de fines couleurs, ainsi que quelques-uns des prix qui ont sanctionné leurs brillants travaux scolaires.

Après son retour du service militaire, et peu après la mort de son père survenue en 1894, Jules Séeberger, l'aîné, entre le premier dans un atelier de dessin sur étoffes. Le soir, il se perfectionne dans des ateliers de la ville de Paris. Les récompenses qu'il y obtient confirment son talent : il est doué d'un sens subtil de la composi-tion et de l'ornementation et se révèle très bon coloriste. Ses premiers résultats incitent ses frères à suivre sa voie. L'entente de la famille Séeberger est exemplaire : les trois frères et leur sœur Félicie vivent en symbiose avec leur mère, unis par une même morale religieuse, celle de l'encyclique de Benoît XV, et par une éducation à la fois rigoureuse et ouverte aux arts. Cette étroite communion restera sans faille non seulement tout au long de la carrière des trois frères, mais encore de celle de leurs descendants Jean et Albert. Elle explique l'étonnant travail d'équipe réalisé pendant plus d'un demi siècle par ces cinq hommes.

Quoique passionné de peinture, Jules Séeberger va s'intéresser très vite à la photographie dont il entend sans doute parler par ses professeurs. M. Janssens ne déclare-t-il pas en 1889 : « La photographie donnera naissance à une école d'art comme le dessin, comme la peinture... Mais on ne fera rien dans cete direction si l'on ne fait pas faire d'abord aux élèves des études de dessin et de peinture. Il ne faut aborder la chambre noire que quand on a déjà un sentiment esthétique développé. »[2] Cette culture, ce sens du beau, Jules Séeberger les possède quand, en 1891, son père lui offre — une facture datée du mois d'août des établissements Fleury Hermagis, rue Rambuteau, le confirme — une trousse aplanétique. L'aplanat est un objectif inventé en 1866 par Adolphe Steinheil, essentiellement composé de deux ménisques convergents parfaitement symétriques et d'une série de diaphragmes qui se placent entre les ménisques. Grâce à la symétrie de ces lentilles, l'aplanat évite la réflexion de la lumière et la distorsion qui affectent jusqu'alors tous les autres types d'objectifs. Il peut donc servir à tous les genres : portrait à toute ouverture, paysage avec le diaphragme f.17, ou reproduction de tableaux avec le diaphragme f.48. Cet objectif permet en outre, en intervertissant la place des lentilles, de modifier les distances focales et de passer ainsi du semi grand-angulaire au demi-télé. Ce matériel déjà sophistiqué (en attendant l'invention de l'anastigmat) prouve les connaissances ou pour le moins la bonne information du jeune homme (ou de son père) sur l'évolution rapide de la technologie.

Armé de cet objectif adaptable sur la majorité des chambres en bois de l'époque, Jules Séeberger s'exerce immédiatement à la photographie. A en juger par la seule image de cette époque qui nous soit parvenue, celle du porteur d'eau montmartrois[3], le jeune homme va bien au-delà de la photograhie narcissiquement banale de l'amateur moyen. Il s'écarte des tendances esthétiques des « flouistes » réputés, et témoigne d'un intérêt immédiat pour la photographie documentaire, précise mais superbement poétique. Une image qui laisse à penser que Jules Sée-

berger a lu Frédéric Dillaye, l'un des théoriciens de l'époque, au point de s'imprégner de ses réflexions. Son ouvrage *L'Art en photographie avec le procédé au gélatino-bromure d'argent*, publié pour la première fois en avril 1891, et régulièrement complété et mis à jour dans un supplément annuel, deviendra pour beaucoup une source incontournable de connaissances techniques et de réflexions esthétiques[4]. Adversaire à la fois des « flouistes » et des « nettistes », Dillaye écrit : « Les premiers ne veulent rien de net dans leurs œuvres, exigent d'elles un vague insensé dans les lignes, dans les formes, dans les masses. Ce ne saurait être l'art photographique, puisque c'est la négation de la caractéristique de la photographie. » Les seconds, ajoute-t-il, « ont voulu des œuvres minutieusement détaillées dans toutes les parties, aussi bien dans les premiers plans que dans les plus éloignés. Ils ne s'aperçoivent point de la sécheresse, ni de la platitude qu'ils donnent ainsi à leurs images... L'art photographique réside dans des images exactes sans sécheresse, détaillées sans minutie. » Cette définition ne correspond-elle pas à cette photographie du porteur d'eau, image nette mais aux valeurs subtiles ?

Ainsi équipé d'une chambre en bois 18 × 24 munie de son objectif aplanat, Jules Séeberger satisfait en solitaire à sa passion pour la photographie tout en continuant à exercer — comme ses frères — son métier de dessinateur. Un métier que chacun de son côté accomplit avec un goût et une puissance de travail remarquables. La qualité de leurs travaux, destinés aux fabricants de papiers peints, tentures, tissus, leur vaut bientôt une réputation qui incite même Henri à fonder en 1900 son propre atelier. Mais c'est avec une photographie vraisemblablement prise à Senlisse, près de Dampierre, où il passe ses vacances que Jules Séeberger remporte la même année le premier prix d'un concours de photographie organisé par le journal *Lectures pour tous*.

Naissance d'une renommée :
les concours de la Ville de Paris

Jules Séeberger s'intéresse trop aux activités photographiques du moment pour ne pas être informé des controverses qui animent ce microcosme et du premier concours organisé par la Ville de Paris dont les thèmes sont : « Les berges de la Seine », « La vie des berges », « Le marché aux fleurs de Paris », « L'architecture antérieure au XVIIᵉ siècle à Paris ».

La « Première exposition annuelle de photographies des sites de Paris », organisée par la préfecture de la Seine sur la proposition de la Commission du Vieux Paris, est présentée du 15 janvier au 15 février 1904 au Petit Palais. Les œuvres exposées (dont un deuxième exemplaire doit réglementairement être déposé au musée Carnavalet) font l'objet d'un accueil assez mitigé. Si la Commission se déclare satisfaite et décide « de décerner la médaille d'argent grand modèle à MM. Barroux, Jacquin, Hennetier, Ingé, Drouillet, Gaillard, Séeberger », le jugement de la presse est plus réservé.

Les photographies réalisées vers la fin de l'année 1903 par Jules Séeberger l'installent, pour son coup d'essai, parmi les meilleurs. Elles sont remarquées tant par Photo-Gazette que par Photo pêle-mêle[5], bien qu'elles ne suivent pas les préceptes des responsables du fameux Photo-Club de Paris. En privilégiant incontestablement les photographies de la vie quotidienne, Jules Séeberger démontre clairement que, en dépit de sa culture avant tout picturale, il a parfaitement perçu la vraie nature de la photographie. En ralliant, dès ses débuts, le camp des documentalistes, il choisit délibérément celui de la modernité.

Cette première réussite le conforte dans ses options et stimule son frère Henri qui commence à partager ses activités. En 1904, encouragé par l'annonce du second concours organisé par la Ville de Paris, dont les thèmes sont cette fois : « Montmartre », « La Bièvre » et « Les jardins privés », Jules Séeberger repart sur un terrain qu'il connaît bien et explore systématiquement l'ex-village montmartrois, annexé en 1860, qui conserve encore sa physionomie propre, sa couleur locale. Il paraît aujourd'hui difficile de ne pas attribuer la paternité de ce travail au seul Jules Séeberger. N'a-t-il pas déjà réalisé sur ce terrain une série de photographies (cf. le porteur d'eau de 1898) qui prouvent sa connaissance de la topographie et des caractéristiques essentielles de ce quartier déjà menacé par l'urbanisation mais dont certains aspects restent rustiques ? Par ailleurs, rendant compte de cette exposition, la presse de l'époque, de L'Illustration à Photo pêle-mêle en pasant par Photo-Gazette[6], cite unanimement comme l'un des meilleurs exposants le seul Jules Séeberger. C'est également dans Photo-Gazette[7] que ce dernier signe personnellement des photographies publiées en illustration du texte sur lequel nous revenons plus loin. Ainsi, de février à juillet 1904, Jules Séeberger sillonne la Butte. Mêlant habilement l'ambiance populaire de la rue et l'atmosphère préservée des jardins privés, il réalise un reportage tendre et nostalgique qui lui vaut un succès et une diffusion que ne connaît malheureusement pas son contemporain Eugène Atget dont les images, moins artistiques mais plus analytiques, préfigurent pourtant un courant de la photographie contemporaine.

Alors qu'Atget trouve d'emblée une écriture photographique totalement originale en effectuant un reportage systématique et quasi déshumanisé sur la ville et ses environs, Séeberger n'oublie manifestement pas sa culture artistique classique. Ses compositions, ses lumières, sa volonté d'offrir de Montmartre un aspect agreste

Montmartre, vers 1904.

qui en réalité s'effrite déjà au fil des mois, rappellent certaines images maniéristes « début du siècle », mais s'en distinguent grâce à une sincérité indéniable mise au service d'une vraie démarche informative.

La réalisation de cette série sur Montmartre ne doit rien au hasard : l'ensemble a été médité et conçu comme un véritable reportage. Jules Séeberger s'en explique lui-même : « Jusqu'à ce jour, la photographie documentaire n'a pas été présentée d'une façon suffisamment artistique ; les photographes qui se sont livrés à l'étude du document (rues, monuments, jardins, etc.) ont, pour la plupart, paru se soucier fort peu de faire œuvre d'art. Se bornant presque toujours à prendre de face des sujets éclairés également de face, ils n'ont produit forcément que des choses banales et sans originalité, alors que ces mêmes sujets, pris d'un certain côté, à contre-jour, par exemple, ou par un temps bru-

meux, eussent tout de suite acquis, en plus de leur caractère documentaire, un cachet original et artistique... De plus, les différentes époques de l'année, le printemps et l'été avec les arbres à fleurs et le gai soleil, l'automne et l'hiver avec les brouillards et la neige, viennent successivement ajouter un charme nouveau à [ces] antiques ruelles et à [ces] parcs séculaires. Aussi me suis-je efforcé de tirer parti de cette variété d'aspects et d'en étudier la composition, estimant qu'il ne faut rien laisser au hasard. »[8]

A ces réflexions sur la forme, Jules Séeberger joint d'autres remarques pertinentes sur le fond : « Je me suis, en outre, appliqué à donner à mes vues encore plus d'intérêt et à les compléter, en les animant par des personnages en harmonie, bien entendu, avec le sujet. Parmi ces personnages [...] je citerai, en première ligne, la Montmartroise : celle-ci n'a-t-elle pas ce je ne sais quoi qui la rend différente de la Parisienne autant que de la Provinciale ? J'ai pensé qu'en la représentant à tous les âges de la vie et à tous les degrés de l'échelle sociale, depuis la gamine en jupe courte jusqu'à la vieille mendiante en haillons, c'était conserver d'elle ce que j'appelle un document vivant [...], document parfaitement à sa place dans une exposition de photographies documentaires... Après les Montmartroises, j'ai remarqué sur la Butte tout un petit monde qui constitue, lui aussi, des documents vivants dignes d'être conservés : ce sont les marchands ambulants, marchands de salade et de mouron [...] puis les porteurs d'eau avec leurs deux seaux disposés en balance sur les épaules, enfin les rapins chevelus, drapés en hiver dans leur longue pèlerine légendaire. »

Conscient de l'importance de conserver trace pour l'avenir de tout ce qui disparaît, Jules Séeberger ajoute : « Plus tard, dans de nombreuses années, quand cette Butte sera couverte de grandes constructions modernes, les générations futures trouveront peut-être du plaisir à regarder ce que j'ai voulu représenter : le poème du vieux Montmartre. » Tout commentaire paraît superflu tant la démarche est clairement exprimée. La technique utilisée est tout aussi rigoureuse. Les clichés 18×24[9] sont agrandis avec beaucoup de soin au format 50×60 sur papier au bromure Guilleminot[10] et virés en différents tons, soit avec les virages dits « artistiques » Guilleminot, soit avec les « chromogènes » Lumière. L'envoi de Jules Séeberger à la seconde exposition de photographies documentaires de la Ville de Paris présentée du 15 janvier au 15 février 1905 dans une salle du Petit Palais ne comporte, cette fois, pas moins de cinquante et une épreuves. Elles lui vaudront un franc succès. *La Revue de la photographie*[11], organe du Photo-Club de Paris, n'est pas la dernière à rendre compte d'un événement qui ne répond pourtant pas à ses préoccupations : « La médaille d'honneur, attribuée par la Commission à M. Séeberger, a été la récompense méritée d'un ensemble vraiment supérieur : cet exposant s'est appliqué à révéler Montmartre sous un aspect pittoresque et champêtre, ignoré de la plupart des Parisiens ; il nous a montré les ruelles et les carrefours bordés de masures chancelantes qui s'écrouleront les unes après les autres, il nous a transportés dans les edens verdoyants et inconnus des jardins de la rue Saint-Vincent, de la rue Cortot ; il nous a fait faire connaissance avec le père Mathieu et les clients assidus du *Lapin Agile*, types curieux du Montmartre qui disparaît. Ces épreuves, toutes de grands formats, étaient empreintes d'un réel cachet artistique et prouvaient en outre que M. Séeberger était un praticien consommé. »

Edmond Franck, dans *L'Illustration*[12], parle d'un praticien d'une habileté exceptionnelle, à l'« objectif intelligent ». Des images de Montmartre sont publiées dans *Photo pêle-mêle*[13], qui fait d'ailleurs l'une de ses couvertures avec la photo du « peintre de Montmartre », ainsi que dans *Photo-Gazette*[14] en illustration de l'article — déjà cité — rédigé par Jules Séeberger.

Ce succès aura de profondes répercussions sur l'avenir des frères Séeberger. Pour l'heure, Jules participe également, cette fois semble-t-il avec son frère Henri, au Xe Salon photographique organisé par le Photo-Club de Paris, qui se tient lui aussi au Petit Palais. Ce salon bénéficie d'une aura particulière : l'école française tout entière est censée y être représentée. Là, le panorama est tout à fait différent : les images reflètent dans leur majeure partie les tendances pictorialistes. « Les gommes en noir — ou en sanguine — sont légion ; le procédé, très discuté à l'époque du premier Salon, tient aujourd'hui, sans conteste, le haut du pavé. [...] Demachy reste le chef d'école indiscuté. [...] C'est toujours d'une facture grasse et chaude, avec un art élevé de la composition. [...] Autour de lui, Gimpel, Le Bègue, de Singly, Sollet... » Parmi les autres procédés utilisés, *Photo-Gazette*[15] cite également « le charbon, le papier Fresson, le papier Artigue (Dubreuil), le papier Luna (Ménard), le platine ». Enfin, la même année, le Photo-Club de Paris organise une exposition internationale de cartes postales photographiques. « A une époque, dit l'annonce, où la carte postale jouit de la faveur que l'on sait, il a paru intéressant de convier les artistes à montrer ce que peut leur talent dans ce genre particulier. »[16] Surprenante préoccupation de la part des membres du Photo-Club de Paris qui, par ailleurs, repoussent la commercialisation et la banalisation de la photographie. Mais la réalité est indéniable : la carte postale connaît à partir du début du siècle une véritable vogue. Dès la fin du XIXe siècle, les lithographes avaient essayé de créer un mouvement en faveur de la carte postale en éditant des œuvres de dessinateurs ou d'illustrateurs, tentative qui échoua mais qui servit de modèle à la carte photographique. « La carte postale a tué la photographie, que la carte postale la fasse revivre », s'écrie *L'Art photographique*[17]. « La carte postale vous tue, ne lui tenez plus rigueur, venez à elle, vivez d'elle, vous avez tout à gagner. » Deux mille épreuves adressées par deux cents auteurs vont participer à cette exposition co-organisée par la Fédération philatélique de France. Le compte rendu de *L'Art photographique*[18] cite : « MM. Jules et Henri Séeberger [...] y figurent avec seize agrandissements, véritables tableaux qui seraient de précieux documents pour un peintre. Ce sont des vues du Grand Morin, des coins ombreux de rivière où l'eau miroitante frissonne ; des bords de Seine avec le trafic quotidien des travailleurs, des scènes de genre très poétiques. Le jury a attribué à MM. Jules et Henri Séeberger une grande médaille d'honneur, hors concours, pour l'ensemble de leur envoi. »

Cette nouvelle distinction marque le véritable départ de la carrière photographique des deux frères. Le succès populaire de ces diverses expositions, les articles de presse et surtout les publications des vues de Montmartre attirent vers les Séeberger l'attention des éditeurs. Les premiers à réagir vont être les frères Kunzli qui, dès la fin de 1905, éditent une série de cinquante cartes en bistre ou en vert-bleu, respectant les virages de Jules Séeberger. Cette série intitulée « Le Vieux Montmartre » et « Les jardins privés du Vieux Montmartre », est désormais recherchée par tous les cartophiles.

Jusqu'alors, les Séeberger assuraient leurs besoins matériels en continuant, chacun dans son atelier respectif, son travail de dessinateur. Des plaques conservées par Albert Séeberger en témoignent : de superbes grandes plaques négatives de format 30×40[19] représentent des fleurs de toutes sortes : roses, iris, glaïeuls, œillets, visiblement disposées et organisées artistiquement pour servir de modèles. Ces motifs floraux, ces compositions décoratives sont tout à fait dans le style des arts appliqués de l'époque. Emile Gallé, le maître verrier, rassemblera lui aussi de telles images au début du siècle, suivant les exemples de Charles Aubry et d'Adolphe Braun. Mais, déjà, Jules et Henri préparent leur participation au troisième concours de la Ville en Paris en sillonnant et en explorant le quartier du Marais.

L'année 1906 va être déterminante : elle va marquer la naissance de la dynastie Séeberger puisque Louis, le troisième frère, abandonne l'atelier Souchon qui l'employait pour rejoindre Jules et Henri. Alors même que Kunzli commence la diffusion des cartes sur le Vieux Montmartre, s'ouvre, toujours au Petit Palais, la nouvelle exposition de photographies documentaires consacrée « aux cours et jardins des anciens hôtels du Marais et à l'île Saint-Louis ». Le Marais, habité par les petits artisans, fut traité de manière austère par Atget ; les Séeberger vont

Le pont d'Arcole, le pont Notre-Dame et l'Hôtel de Ville
Paris, sans date.

l'aborder différemment, en mettant en scène dans leurs décors authentiques de petits personnages en costume d'époque. L'idée un peu convenue rappelle les scènes de genre, assez prisées à la fin du siècle précédent, qui ont fait les beaux jours des éditeurs de cartes stéréoscopiques.

L'accueil est mitigé, ce qui n'empêche pas *L'Illustration*[20] de leur consacrer à nouveau trois de ses pages en les illustrant largement. Edouard Frank y écrit : « L'idée est assez ingénieuse ; toutefois [...] il y a quelque chose d'artificiel et de théâtral qui en gâte un peu l'effet. » Le critique de *Photo-Gazette*[21], quant à lui, dans un article également illustré, souligne que « l'idée de placer des personnages, en costume du temps, au milieu de ces monuments historiques [...] leur enlève un peu de leur sévérité et donne plus de caractère au tableau ».

Cette même année, Jules Séeberger participe à la XIe exposition du Photo-Club de Paris[22], avec une photographie 30 × 40 sur papier bromure : « La chapelle des Alyscamps » ; elle marque le début des voyages à travers la France que les frères Séeberger vont effectuer pour le compte de Léopold Verger, l'un des grands éditeurs de l'âge d'or de la carte postale.

Une énorme production est mise sur le marché : la revue *Photo-Magazine* de juillet 1905 estime à environ cinq cents millions le nombre de cartes diffusées annuellement en France ! Verger publie dès 1906 une série d'images des Séeberger, malheureusement souvent éditées en « aquaphoto », c'est-à-dire en « photo-aquarellée » de qualité bien inférieure à celle obtenue par des procédés plus traditionnels comme la phototypie.

Les cartes postales :
le tour de France des Séeberger

Dans la seule agglomération parisienne, il existe à cette époque près de deux cents éditeurs de cartes postales. Réalisées le plus souvent par des photographes inconnus, voire par les éditeurs eux-mêmes comme Neurdein ou Levy, ces cartes ont le double avantage de diffuser à profusion des images accessibles à tous et de constituer un véritable inventaire de la France. Elles renouent indirectement avec les tentatives plus anciennes d'Humbert de Molard, de Charles Nègre et même d'Eugène Pirou. Si, dans cette masse d'images destinées à toutes les clientèles — artistes-peintres comme Utrillo, touristes, amateurs d'architecture, simples curieux — les niveaux de qualité et d'intérêt sont inégaux, elles représentent aujourd'hui une source iconographique irremplaçable sur des sites, des occupations, des modes de vie désormais disparus. Aussi marquent-elles les débuts balbutiants de la photographie documentaire sociale, voire même — pour les meilleures d'entre elles — les racines profondes de la photographie humaniste. C'est le cas d'un certain nombre de photographies d'Atget publiées (anonymement) par l'éditeur V. Porcher dans une série célèbre parue vers 1903 et intitulée « Les p'tits métiers de Paris », comme c'est le cas de la série consacrée aux vues de Séeberger sur le « Vieux Montmartre ». Genre mineur peut-être, ces cartes postales du début du siècle appartiennent à la mémoire des arts et traditions populaires.

Les frères Séeberger voient ainsi s'ouvrir à eux un marché nouveau et une source de revenus qui ne manqueront pas de les conforter dans leur engagement photographique.

La série de photographies réalisées dans le Marais avec de petits personnages en costume d'époque, série suffisamment anecdotique pour plaire au grand public, va bientôt être éditée à son tour. Lui succèderont, chez Léopold Verger, plusieurs suites d'images romantico-réalistes des paysages parisiens des bois de Boulogne et de Vincennes représentant l'idyllique laiterie en plein air ou l'embarcadère : on y reconnaît Mme Louis Séeberger en élégante promeneuse et Louis transformé en peintre du dimanche sur les rives du lac Saint-James ou Henri lisant son journal sur celles du lac de Madrid[23].

Dès le début de l'année suivante, la quatrième édition du concours de la Ville de Paris est présentée au Petit Palais. Ses thèmes : le jardin du Luxembourg, le jardin des Plantes et les vieilles demeures des environs de Paris. Une fois de plus, les frères Séeberger ont accompli tout au long de l'année 1906 un énorme travail de reconnaissance et d'inventaire photographique. Le résultat est tel qu'il leur vaudra la médaille d'or hors concours.

Cette entreprise de longue haleine leur permet de rapporter des documents inédits de demeures parfois oubliées et pour la plupart aujourd'hui disparues, d'où toute anecdote est bannie. Des images rigoureuses, souvent frontales, superbement éclairées. Stains, Clichy, Asnières, Issy, Arcueil, Villejuif, Choisy-le-Roi, Vitry, Charenton sont soigneusement repérés et photographiés. Mais l'important tient moins, en cette année 1906, à ces premières éditions qu'à la proposition que leur fait Léopold Verger de réaliser, selon leurs propres conceptions photographiques, une série de vues sur la France entière.

Ils transforment donc une partie de l'appartement de la rue Fénelon en atelier, installent un laboratoire où leur sœur Félicie effectuera les premiers tirages, rôle dévolu ultérieurement à Mme Louis Séeberger. Cette campagne, qui leur permettra de rassembler une vaste documentation dont d'autres éditeurs tireront également parti, durera près de quatre années. Une organisation rationnelle est mise au point : Jules et l'un de ses frères partent en voyage, le troisième reste à Paris pour assurer diverses tâches parallèles.

C'est ainsi que les deux voyageurs, chargés de leur matériel de prise de vue[24], d'objectifs, de plaques 13 × 18 et de cuvettes de développement, quittent régulièrement Paris par le train. A l'arrivée, ils

Marchandes ambulantes
Nice, sans date.

louent une carriole et son cheval, achètent le picotin. Les soins à donner au cheval ne sont sans doute pas étrangers à la présence permanente de Jules dans chacun de ces voyages : n'a-t-il pas accompli son service militaire dans la cavalerie ? Sur place, les Séeberger partent à la découverte des rues, places et marchés, des monuments. Le soir, rentrés à l'hôtel, ils procèdent eux-mêmes au développement des plaques insolées, contrôlant immédiatement la qualité de leurs négatifs. Le matériel est simple : une cuvette transpor-

tée dans les bagages et quelques produits de base en vente un peu partout : diamidophénol, sulfite et hyposulfite... Ces plaques révélées sont ensuite acheminées immédiatement sur Paris où sont réalisés les contacts tirés sur papier citrate à l'aide d'un chassis exposé au soleil. Albert Séeberger, second fils de Louis, s'étonne encore aujourd'hui de la qualité indéniable des négatifs obtenus quel que soit le temps : négatifs légers, images cadrées de façon rigoureuse, compositions équilibrées.

Dès le mois de février 1906, les voyages se succèdent à un rythme soutenu. Les principales étapes se situent essentiellement dans les grandes villes et les hauts lieux touristiques de la Savoie, de la côte normande et du littoral méditerranéen. L'intelligence des Séeberger leur a permis non seulement d'y photographier les activités de loisir mais encore de saisir les occupations quotidiennes des travailleurs. Ils réalisent ainsi le panorama d'une France en pleine transformation, des équipements industriels du nord de la France aux hôtels luxueux de la Côte d'Azur, et à l'activité grouillante et populaire du port de Marseille. Le monde bourgeois cohabite avec le « petit peuple » ; les premiers tracteurs révèlent l'évolution du monde rural ; l'industrialisation est en plein essor : manufactures, hauts fourneaux, usines textiles et chimiques se multiplient ; le béton fait son apparition. Les ouvriers des peausseries de la Bièvre et des conserveries bretonnes côtoient, dans cette ronde d'images, la riche clientèle des établissements thermaux. La vie mondaine s'épanouit sur les hippodromes comme dans les casinos tandis que forains, colporteurs et autres marchands de « plaisir » distraient la cousette et l'ouvrier.

La carte postale étant avant tout un moyen de communication, une image souvenir destinée à ceux qui voyagent, le témoignage des frères Séeberger s'adresse d'abord à la bourgeoisie même si l'historien, l'urbaniste, le sociologue et beaucoup d'autres chercheurs y trouvent aujourd'hui une myriade d'informations. Plus riches encore de renseignements sont les photographies qu'entre deux voyages les Séeberger continuent de réaliser à Paris et dans ses environs : les moyens de transport, les fêtes foraines, la construction du métropolitain, les Halles...

C'est d'ailleurs à Paris qu'en 1907 les Séeberger effectuent un grand reportage sur la fête des Fleurs, un énorme corso fleuri qui attire au bois une foule de curieux avides de voir les belles dames et leurs somptueux véhicules décorés. « Cette année, grâce à une heureuse modification au programme qui a permis l'admission, au défilé, des voitures à essence, à pétrole, à alcool, jusqu'à présent exclues, il a retrouvé un succès qu'il ne connaissait plus guère. [...] Mêlées aux attelages les plus élégants, plus de cent automobiles fleuries ont, sans fumée, sans odeur, sans bruit, défilé pendant les deux après-midi de vendredi et samedi. »[25]

Outre les nombreuses photographies sur les régions de France publiées par Léopold Verger, d'autres séries de cartes postales vont progressivement voir le jour telles « La vie des marins »[26] réalisée au cours d'un voyage à Toulon, qui représente la vie à bord des grands navires de guerre à l'escadre, ou « L'infanterie »[27], véritable suite de scènes de genre sur les fantassins réalisée au Prytanée de Vincennes.

Les frères Staerck publient à leur tour un certain nombre de photographies des frères Séeberger. Citons « La fête foraine »[28], vaste panorama des grandes fêtes populaires (foire aux pains d'épices, foire aux jambons du boulevard Richard-Lenoir, fêtes à Neuilly, à Saint-Cloud, foire du Trône) et de leurs attractions : parades, lutteurs, dompteurs, marchandes de frites et de douceurs, manèges divers, « Les pompiers de Paris »[29] illustrant l'entraînement et la modernisation du matériel

des soldats du feu et surtout la grande série des « Berges de la Seine », véritable promenade à travers Paris en une cinquantaine de cartes qui offrent un échantillonnage complet des diverses activités qui animent ces longues enfilades de quais non encore voués à l'automobile et qui constituent presque, à cette époque, un port continu. S'y activent tondeurs de chiens, mariniers, cardeurs, tailleurs de pierre, glaneurs de charbon, barbiers, charretiers, blanchisseuses...

Ce sont également les frères Staerck qui publieront un peu plus tard un véritable reportage que les Séeberger vont réaliser lors des spectaculaires inondations de 1910. En janvier de cette année-là, une crue exceptionnelle de la Seine transforme tout le centre de Paris en petite Venise. Le niveau du fleuve atteint le sommet des voûtes des ponts, le système de protection mis au point par Belgrand cède de partout, l'eau reflue par les égouts et envahit les rues jusqu'à la gare Saint-Lazare dont la cour est transformée en un véritable lac, comme le sont le Champ de Mars, la gare d'Orsay...

Est-ce sa passion pour la peinture qui va inciter Jules Séeberger à quitter le domaine documentaire où il excelle pour se lancer dans des recherches proches de celles des pictorialistes ? A partir de 1907, en effet, il participe (tout en signant ses œuvres des initiales des trois frères J.L.H.S.) au Salon national avec des encres grasses en couleur obtenues grâce aux procédés Rawlins. Cette technique très picturale offre une grande liberté de facture mais nécessite une inhabituelle dextérité manuelle. Dans le compte rendu de *Photo-Gazette*[30] sur l'exposition de 1908, le nom des Séeberger voisine avec ceux de Demachy, Dubreuil, Coburn, Steichen, Puyo, de Meyer... Cet intérêt pour les encres colorées défraye la chronique. Les Séeberger choisissent leurs modèles avec goût et donnent aux jeunes

Sans titre, sans date
(original couleur).

Profil en plusieurs couleurs, sans date
procédé à l'huile (original couleur).

Étude (sanguine), sans date
(original couleur).

Étude de nu, sans date, procédé à l'huile
essai en quatre couleurs (original couleur).

filles une belle expression de douceur, de candeur naïve, de rêverie mélancolique.

En 1909, Jules Séeberger, indifférent aux polémiques, expose six portraits colorés dont l'un, « Rosine », est publié dans *Photo-Gazette*[31]. Il récidive en 1910 avec un portrait et deux natures mortes dont une magnifique « Nature morte aux oignons ». En 1912, après le Salon annuel, *Photo-Gazette* publie quatre portraits en couleur pour illustrer le texte de la conférence faite sur ce sujet par Jules Séeberger au Cercle des amateurs photographes. « Nous avons demandé, dit le chapeau de l'article, à M. J. Séeberger, qui est un maître en la matière, de nous donner les détails nécessaires pour guider ceux qui voudraient acquérir la pratique de cet intéressant procédé. »[32]

Là n'est pas cependant l'activité principale des trois frères qui, de 1906 jusqu'aux environs de 1910, parcourent les routes de France pour réaliser un travail lucratif qui cependant suffit à peine à leurs besoins, surtout à ceux de Louis, désormais marié et père de famille (son fils Jean est né le 10 août 1910, Albert le second fils naîtra le 31 octobre 1914).

Fort heureusement, une opportunité nouvelle se présente à eux à la fin de l'année 1908.

La mode au bois

Le succès des Séeberger aux concours de la Ville de Paris ainsi que leurs publications attirent sur eux l'attention de Madame de Broutelles, directrice de *La Mode pratique*. Elle leur demande de réaliser des reportages de mode et d'élégance dans les milieux mondains, particulièrement sur les champs de courses où les femmes du monde, les personnalités de la scène et de la ville s'offrent en spectacle.

C'est d'ailleurs dans *La Mode pratique* qu'a paru en 1892, quelques années après l'invention du procédé de similigravure par Frédérick Eugène Ives (1886), la première reproduction directe de photographie de mode. Les illustrations des journaux de mode n'étaient alors que des images redessinées et gravées d'après photographies. Ces photographies provenaient pour la plupart des grands studios parisiens de Paul Nadar, Manuel, Reutlinger, Talbot, Félix, qui auront quasiment le monopole de ce genre de travail jusqu'à la Première Guerre mondiale. A l'époque, les robes des grands couturiers étaient essentiellement portées par les femmes du monde et les actrices. Il eût été choquant pour un couturier, vers 1900, et en complète contradiction avec le prestige qui caractérise la profession, de présenter ses réalisations sur des mannequins professionnels. Des célébrités comme Sarah Bernhardt, Tilly Losh et plus tard Réjhane ou Mata-Hari, connues de tous, sacrifient alors au rite de la prise de vue sur scène ou dans de luxueux studios.

Mais l'idée va naître progressivement de substituer la lumière naturelle à l'éclairage artificiel des studios. Les photographies réalisées en extérieur, devant des fonds peints représentant marines ou sous-bois vaporeux, n'en sont pas moins soigneusement mises en scène et posées. Les ateliers Félix et Manuel excellent dans le genre. Lorsque Madame de Broutelles incite les Séeberger à réaliser de véritables instantanés au cours des grands événements mondains (courses, réceptions), elle presse de profonds bouleversements. Leur originalité dans ce domaine — qu'ils ne sont toutefois pas les premiers à traiter — tient d'emblée à leur manière d'aborder le sujet, à leur approche directe et vivante, mais leurs débuts sont cependant difficiles : leur signature ne s'imposera que des années plus tard. A cela plusieurs raisons : leur étroite spécialisation dans le domaine, la coupure de la Première Guerre mondiale et les habitudes des journaux de mode de l'époque.

Ceux-ci sont alors destinés à un public de lecteurs conservateurs qu'il ne faut pas effaroucher par un réalisme déplaisant : *La Gazette du bon ton*, revue raffinée et luxueuse créée par Lucien Vogel en 1912, n'est illustrée d'aucune photographie : les dessinateurs y sont rois : Lepape, Iribe, Erté, et produisent des illustrations dans le style « art nouveau ». *La Femme chic*, créée en 1911 par A. Louchel, est exclusivement illustrée de dessins. Sa clientèle est essentiellement une clientèle de couturières à façon qui y trouvent, comme dans d'autres revues de mode, des modèles dont elles peuvent s'inspirer. Elles travaillent souvent pour des femmes aisées qui ne peuvent toutefois prétendre à la haute couture. Ce sont des images destinées aux dessinateurs que vont réaliser dès 1909 les frères Séeberger pour le compte de *La Mode pratique*. Un travail anonyme au départ : il faudra attendre le numéro du 16 décembre 1911 pour y voir figurer leur signature. Tout autant qu'un témoignage sur la mode, ce travail apparaît aujourd'hui comme un véritable catalogue des mœurs, des goûts et de la façon de vivre d'une certaine classe de la société. Sur les aristocrates et belles élégantes du début du siècle, Cecil Beaton écrit : « Ornées de fourrures et de plumes hypertrophiques, elles se pavanaient comme des oiseaux avec des allures et un port de reine... Leurs rivalités les poussaient à l'impossible et les couturiers parisiens se surpassaient en inventions et en audaces pour assurer le triomphe de leurs créations. Quelquefois, le matin même d'une réunion aux courses, les ''premières'' d'un couturier étaient encore en train d'épingler une robe destinée à être lancée le jour même. »[33]

Fort heureusement, ces photographies, aujourd'hui dans les collections de la Bibliothèque nationale[34], ont été soigneusement conservées par les frères Séeberger et par les enfants de Louis, Jean et Albert, qui poursuivront leur œuvre jusqu'en 1977.

L'utilisation de pieds étant alors interdite par la réglementation des champs de courses, les Séeberger utilisent un matériel portable relativement maniable : un Klapp Nettel 13 × 18 ou un Thornton Picard équipé d'un objectif Tessar Krauss f. 4,5 de 210 m/m, appareil reflex que les Séeberger emploieront couramment jusqu'à la fin de 1929. L'équipe formée par Jules et Louis est parfaitement rodée : l'un vise et met au point tandis que le second surveille la scène, veillant à ce que personne ne passe devant l'appareil, retenant souvent l'attention du sujet à photographier, lui adressant même parfois la parole pour le détendre. A en juger par les photographies réalisées, l'approche et le contact des deux frères sont fort cordiaux. Grâce à eux, les célébrités peuvent être reconnues comme les véritables ambassadeurs de la mode.

Ce travail intensif permet aux Séeberger de fournir des photographies de mode non seulement aux dessinateurs mais également aux couturiers et à leurs commissionnaires qui les utilisent pour la promotion de leur maison en France et à l'étranger. Aux Etats-Unis, par exemple, les grandes chaînes de magasins tels que Macy's, AMC, Whanamaker suivent de près la mode parisienne. Les Séeberger louent alors un atelier beaucoup plus vaste situé au 33, rue de Chabrol, proche de leur domicile de la rue Fénelon.

Photo de mode en extérieur, sans date.

Photo de mode en extérieur, sans date.

C'est d'ailleurs en sortant de cet atelier, chargé de son sac et de son trépied, qu'Henri Séeberger est un jour abordé par un homme qui l'interpelle : « Jeune homme, vous me semblez bien courageux. Voulez-vous faire des photos pour moi ? Voici ma carte. » M. Schwartz, éditeur au 58 de la Chaussée d'Antin, vient ainsi de lancer Henri dans une aventure qui durera jusqu'à la veille de la Première Guerre mondiale : celle de l'édition d'une véritable encyclopédie populaire illustrée en plusieurs volumes : *Le Monde et la Science*. Le but de l'opération est décrit par l'éditeur lui-même dans la préface du premier volume : « Grouper dans une publication, unique en son genre, toutes les merveilles de l'industrie, de la chimie, de l'électricité et de la mécanique, en montrant le progrès réalisé à ce jour. [...]

« Etablir *Le Monde et la Science* eût été impossible il y a seulement quelques années. Et si aujourd'hui il nous est donné le moyen d'entreprendre une telle publication, c'est uniquement au progrès remarquable réalisé par la photographie que nous en sommes redevables. [...]

« Nous nous résumons : *Le Monde et la Science* formera à lui seul une vaste bibliothèque de connaissances humaines. Par ses quinze mille images photographiques, il sera le musée chez soi, le véritable musée, image fidèle de la vie des travailleurs. »

Voilà la tâche à laquelle va désormais se consacrer Henri Séeberger, qui va le mener d'usines en manufactures, d'entreprises industrielles en ateliers artisanaux. Un véritable périple dans les activités humaines qui lui permet de réaliser un travail documentaire qui n'est pas sans annoncer celui mené par François Kollar à la veille du Front populaire. La guerre va malheureusement interrompre l'opération et seuls les trois premiers volumes (couvrant les lettres de A à PA) seront publiés. L'éditeur et les clichés disparaî-tront dans la tourmente. Ne subsistent aujourd'hui, en dehors de ces trois ouvrages abondamment illustrés, que quelques boîtes de tirages qui donnent un aperçu de ce qui a été entrepris.

Cette activité d'Henri s'ajoute aux reportages de mode qui restent l'occupation principale des Séeberger. Essentiellement dominicale, elle autorise Henri à partir en semaine sur les routes de France pendant que Louis, marié et père de famille, reste au laboratoire pour réaliser les tirages et divers travaux comme le catalogue des bijoux Fix. Jules participe aux prises de vue et profite de ses loisirs pour retourner à son chevalet ou satisfaire sa passion de la musique. Mais, en 1914, Louis et Henri sont immédiatement mobilisés. Jules poursuit seul ses activités, aidé toutefois par sa sœur Félicie. Il continue à photographier la promenade des élégantes qui, à défaut de pouvoir se rendre au bois, arpentent désormais l'avenue Foch où se rencontre le Tout-Paris. Prises au Klapp Nettel, ces photographies qui portent au dos le tampon « La Mode au bois. Séeberger Frères, photographes » sont légèrement différentes des précédentes : la visée précaire de ce type d'appareil incite Jules à faire des cadrages plus larges et à solliciter davantage la pose de ses modèles parmi lesquels on reconnaît Mme Paquin, Mme Pitoëff, des actrices comme Lily Pons, Cécile Nattier du théâtre des Capucines et Mme Androl du théâtre du Palais-Royal, le plus souvent accompagnées de fringants militaires en permission. Car la guerre n'interrompt pas la parution des revues de mode qui se donnent toutefois bonne conscience en consacrant régulièrement une page « à nos soldats ». Félix, Reutlinger, Manuel continuent leurs activités tout comme Talbot qui, dans *Les Modes* et *La Mode pratique*, se taille alors la part du lion. Pendant ce temps Henri, blessé dès le début de la guerre, se retrouve dans l'enfer de Verdun

Atelier d'artiste, Paris, 1927.

en 1917 et doit être évacué, profondément choqué, quelques jours avant la chute du fort de Vaux, à Saint-Vallier pour poursuivre une longue convalescence.

La guerre terminée, les Séeberger vont immédiatement reprendre leurs activités avec d'autant plus d'intensité que, dès 1919, une frénésie de plaisirs va animer le Tout-Paris désireux d'oublier le carnage. Dans le domaine de la mode, c'est une véritable explosion. Vionnet, Poiret, Chanel, Lanvin, Lelong, Patou et Molyneux rendent à Paris son titre de capitale de la haute couture. La presse spécialisée suit le mouvement. De nouveaux titres font leur apparition : *L'Officiel de la couture* (1921), *Le Jardin des modes* (1922), *Adam* (1925). *Vogue* lui-même lance une édition française (1920) qui permettra de découvrir les premiers grands photographes de mode américains comme Steichen ou le baron de Meyer.

L'incontestable envol de la haute couture dans le monde entier, la recrudescence de la vie mondaine et l'explosion de la presse spécialisée offrent aux Séeberger à nouveau réunis l'occasion d'imposer leur nom. De fait, la plus belle des nouvelles revues, *Le Jardin des modes*, s'adresse à eux. Ils vont l'hiver à Chamonix, l'été sur la Côte d'Azur, au Touquet, à Biarritz, à Deauville et bien entendu à Auteuil, Longchamp et Maisons-Laffitte. Leur réussite est si évidente que le journal *Les Modes*, dans son numéro de septembre 1925[35] leur consacre une pleine page titrée « Nos artistes ».

Cependant, Jules Séeberger, atteint par la maladie, se détache progressivement de cette activité effrénée, délaisse de plus en plus l'atelier pour la peinture, même s'il devient membre de la Société française de photographie en 1921[36]. Son titre de gloire est sa participation au Salon des indépendants de 1920. Son genre pictural est proche de celui des encres grasses colorées qu'il exposait au début du siècle au Photo-Club de Paris. Cinq toiles sont présentées au Salon des indépendants, quatre autres l'ont été au Salon de l'Ecole française. « Son talent, écrit la critique, est fait de justesse, d'équilibre et d'harmonie. »

Ce retrait progressif de Jules Séeberger devient total et définitif en 1925 : il sera compensé par l'entrée dans l'atelier de Jean Séeberger, premier fils de Louis, suivie de celle de son frère Albert quelques années plus tard. Tous deux, après des études secondaires, avaient suivi des cours du soir dans une école dépendant du Conservatoire des arts et métiers. Jean, l'aîné, entre dans l'atelier en 1927, Albert y débute en 1931 après avoir obtenu un CAP de cinéaste et avoir suivi avec passion les cours de sensitométrie d'Abribat, chercheur chez Kodak-Pathé.

Ils vont rapidement s'intégrer dans l'équipe initiale pour prendre seuls le relais après la Seconde Guerre mondiale. C'est d'ailleurs à la mémoire prodigieuse et au puissant sentiment familial qui anime toujours Albert Séeberger que nous devons la majeure partie des informations contenues dans cette étude.

Le temps des mutations

Absorbés par la mode, les Séeberger ont quelque peu abandonné — si l'on excepte leur étonnante série sur les inondations de Paris — le style des prises de vue de leurs débuts. Ils le retrouvent en 1923. Une agence d'Hollywood, l'International Kinema Reserach[37], dirigée par Mr Howland, leur commande une documentation destinée à permettre aux décorateurs des studios hollywoodiens de reconstituer les décors des lieux typiquement français. Ce travail durera jusqu'en 1931. Les Séeberger vont ainsi réaliser des milliers de prises de vue qui constituent un vaste inventaire de Paris, de son mobilier urbain, de ses cafés, théâtres, établissements publics et privés, hôtels et restaurants.

Ce travail pour Kinema leur procure un revenu supplémentaire important mais alourdit d'autant la charge de l'atelier. Albert Séeberger qui a participé dès ses débuts à ce projet se souvient : « Nous recevions quotidiennement des télégrammes très précis d'Hollywood nous indiquant les diverses prises de vue à réaliser : photos de voiture à deux roues, photos du Café napolitain, intérieur du bar Daunou, photos d'agents de police, du théâtre des Ambassadeurs, du café de la Paix, des guichets de la Société générale... Les music-halls, les boîtes de nuit, les débits de boisson, les boutiques diverses ont ainsi été photographiés en détail. Je me souviens d'avoir personnellement réalisé avec Louis, mon père, un certain nombre de ces photographies rue Norvins, au Dôme, rue de Lappe, place du Tertre. [...]

« Pour assurer tout ce travail qui s'ajoutait aux commandes habituelles, l'emploi du temps fut fixé une fois pour toutes. Le dimanche était bien entendu consacré à la photographie aux courses, le lundi à sélectionner et à tirer les épreuves, le mardi était réservé à la distribution des photos car les bateaux pour les Etats-Unis (l'Ile de France, le Bremen) partaient en général le mercredi, jour où nous réalisions les photos de mode destinées aux dessins de La Femme chic. Le jeudi et le vendredi étaient entièrement occupés par le travail commandé par Hollywood. Le samedi était un jour de détente, Henri et Louis

Bazar de l'Hôtel de Ville, Paris, sans date.

allaient à la campagne se reposer dans les petites maisons qu'ils avaient acquises, l'une en 1921, l'autre en 1924... preuve évidente de leur réussite matérielle. Jules, plus bohème, passait son temps à peindre ou à jouer de la musique : harmonium, clavecin, piano à queue, cithare et même pianola-piano emplissaient l'appartement de la rue Fénelon. »

Pour répondre à une telle diversité de travaux, les Séeberger acquièrent des chambres Gilles Faller d'atelier 30 × 40, Lorillon et surtout l'appareil reflex Curt Bentzin équipé d'un objectif Tessar f. 4,5 de 250 m/m (acquis en 1930)[38] qui sera souvent utilisé jusqu'à l'apparition du Rolleiflex en 1935.

L'entreprise Séeberger connaît alors de profondes mutations dues à l'accroissement de la clientèle (multiplication des journaux et revues) et à l'arrivée dans l'équipe de Jean et Albert. Leur influence grandissante va bientôt déboucher sur quelques innovations propres à troubler les « anciens » : utilisation de la lumière artificielle, utilisation du Rolleiflex pour les reportages de mode en extérieur. Les « anciens » abandonnent définitivement aux jeunes la responsabilité de la technique.

La photographie subit alors de multiples soubresauts mais l'activité des Séeberger ne connaît aucun ralentissement. Dans le domaine de la photographie de mode aux courses, en dépit d'une certaine concurrence (Devrède de l'agence Rol, Stella Presse, de Givenchy, Gémiaux, Isaï), ils restent incontestablement les meilleurs. Ce que confirment la fidélité et même l'élargissement de leur clientèle. Dès 1930, la nouvelle publication *Vu* (qui deviendra célèbre dans le monde entier) s'assure leur collaboration. Sous la signature de Francine, c'est l'épouse de Lucien Vogel, fondateur de la revue en 1928, qui tient la rubrique mode. Elle fait appel aux Séeberger dont elle a apprécié le talent lors de son passage au *Jardin des modes*. Les doubles pages se multiplient tout au long des années trente. Toutes les grandes figures de la vie parisienne (la baronne de Rothschild, la princesse Agha Khan, la comtesse de la Falaise, la baronne Franck) y sont représentées superbement vêtues de robes signées. Dans un numéro daté de 1927, la signature de Séeberger côtoie même dans un article intitulé « Elégance féminine » celles de Schall et de Brassaï.

Harper's Bazaar continue à leur commander des photographies de mode. Ils réalisent également de nombreux reportages pour le *New York Herald Tribune*, notamment sur les hauts lieux touristiques : Biarritz, Cannes, Saint-Moritz... Au cours de la seule année 1933, *Mode pratique* publie plus de soixante-trois de leurs photographies et leur signature figure dans *Candide, L'Echo de Paris, L'Intransigeant, L'Excelsior, Pantagruel, Le Figaro, L'Art et la Mode, Votre beauté* et *Rester jeune*. Leurs photographies sont même publiées dans *La Nacion* à Buenos Aires.

« Les parents, raconte Albert, malgré une certaine fatigue, continuaient leur travail, mais nous les jeunes, nous découvrions tout. [...] Nos modèles étaient sans conteste ceux que nous découvrions dans *Vogue* ou dans *Harper's Bazaar* : de Meyer, Horst, Steichen, Hoyningen-Huene, ainsi qu'une autre photographe de *L'Officiel de la couture*, que nous appréciions beaucoup : D'Ora... Le cinéma continuait à nous enthousiasmer et nous dévorions *Pour vous*, une revue de cinéma où nous glanions beaucoup d'idées. »

C'est ainsi que s'écoulent les dernières années de paix, qui sont pour les Séeberger des années de travail intense. Mais la guerre fait cesser l'activité de l'équipe. Jean et Albert sont mobilisés. Louis, déjà malade — il va subir une grave opération — s'arrête, rapidement suivi par Henri. Le premier studio Séeberger n'est plus. La saga ne se termine pourtant pas là... Démobilisés en 1941, Jean et Albert vont relancer la maison qui ne sera fermée définitivement qu'en 1977, trente-six années plus tard.

Occupant le devant de la scène pendant près de trois quarts de siècle, les Séeberger furent de talentueux professionnels. La mention « Séeberger Frères » fut la marque de leur confiance réciproque et de leur certitude mutuelle d'offrir un travail de qualité.

Grâce à cette unité étonnante, l'œuvre a été conservée dans son intégralité. Le fonds photographique a été toutefois réparti, peu après la fermeture de l'atelier, en trois lieux distincts. La Bibliothèque nationale a obtenu près de soixante-dix mille négatifs ou épreuves sur la mode. Le Service des archives photographiques (qui fait partie de la Mission du patrimoine photographique depuis 1989) possède quelque trois mille plaques essentiellement consacrées à Paris et à la province. La Bibliothèque historique de la Ville de Paris conserve dans ses collections près de trois mille épreuves sur Paris et la vie parisienne. Ces archives facilement consultables permettent de juger de la place des Séeberger qui, du début du siècle jusqu'à la Seconde Guerre mondiale, ont été des témoins visuels irremplaçables. Non pas des reporters à l'affût de l'actualité (leur série sur les inondations de Paris est une exception) mais des illustrateurs sensibles et clairvoyants de la vie quotidienne et de l'évolution de la société.

La belle série réalisée par Jules Séeberger à Montmartre est l'exemple même de ces images faites pour l'histoire. Leur exploration de la France est de la même veine et leurs photographies ont dans ce domaine un double intérêt. Topographique d'abord, avec l'inventaire des monuments des principales villes, des paysages des hauts lieux touristiques (la mer de Glace, la Côte d'Azur, la côte normande),

Photo de mode en studio, sans date.

voire même de certains paysages industriels du Nord. Intérêt sociologique ensuite, puisque les Séeberger se sont atta- chés au gré de leurs périples à photographier aussi bien le monde des oisifs et des gens aisés que celui du labeur représenté

Photo de mode en studio, sans date.

par les marchands de fruits et légumes, les bateleurs, les lavandières du bord du Rhône, les marins, les pompiers en manœuvre, les cochers et les ouvriers construisant le métropolitain. Les fêtes et loisirs occupent également un place de choix dans cette œuvre : bains de mer, fêtes foraines, manèges, réunions hippiques, corsos fleuris.

Pour constituer entre les deux guerres mondiales une nouvelle documentation sur la ville à la demande d'Hollywood, ils semblent avoir pénétré partout, des échoppes d'artisans aux cuisines des grands hôtels, des bals populaires aux salles de music-hall. Dans cette précieuse investigation, c'est de la modernité de leur temps que nous entretiennent les trois frères. L'histoire de la mode en France leur doit également une part importante tant de son iconographie que de sa renommée internationale. Dans ce domaine, ils se sont avérés des témoins particulièrement privilégiés.

Représentants typiques d'une photographie documentaire, ils ont laissé un véritable portrait des mœurs et de la manière de vivre du premier quart de ce siècle. Représentants typiques d'une photographie documentaire et illustrative, ils ont su dépasser le simple côté utilitaire et atteindre, dans certaines de leurs plus belles images, à la beauté pure.

Jean-Claude Gautrand

1. Jean-Baptiste Séeberger, né à Woltfertschewenden, naturalisé en 1890.

2. Cité dans L'Art photographique, Frédéric Dillaye, p. 11.

3. Cette image, dont le négatif est au format 13 × 18, aurait été réalisée avec un Nettel Deck Rullo.

4. Op. cit.

5. Photo pêle-mêle, 16 juillet 1903. Photo-Gazette, 25 février 1904.

6. L'Illustration, n° 3231 du 28 janvier 1905. Photo pêle-mêle, 4 février 1905. ·

7. Photo-Gazette, 1905, vol. 1, p. 31.

8. Photo-Gazette, 25 mars 1905, p. 85.

9. Trois clichés sont au format 13 × 18, sans doute réalisés au Nettel, tous les autres sont au format 18 × 24, réalisés à l'aide d'une Chambre Touriste équipée vraisemblablement d'un objectif rectilinéaire de 210 m/m.

10. Agrandissements réalisés à l'aide d'une chambre à trois corps utilisant la lumière du jour. Une lettre de la maison Guilleminot figure dans les archives Séeberger : « La maison Guilleminot est très heureuse de constater le succès que remportent actuellement à l'exposition de photographies documentaires les splendides épreuves 50 × 60 d'un de ses clients, Monsieur Jules Séeberger. Ces épreuves exposées au Petit Palais des Champs-Elysés du 15 janvier au 15 février ont été obtenues avec les papiers au gélatinobromure Guilleminot. »

11. La Revue de la photographie, 1904, vol. 1, p. 66.

12. L'Illustration, 28 janvier 1905, n° 3231, p. 55 et suivantes (11 photos publiées).

13. Photo pêle-mêle, 18 février 1905, n° 86 (3 photos publiées dont la couverture), n° 90 du 18 mars 1905 (1 photo pleine page).

14. Photo-Gazette, 25 mars 1905, p. 85 (8 photos publiées).

15. Photo-Gazette, 25 avril 1905, p. 129.

16. La Revue de la photographie, 1905, p. 31.

17. L'Art photographique, janvier 1905.

18. L'Art photographique, 1er août 1905.

19. Plaques réalisées vraisemblablement avec une chambre Gilles-Faller.

20. L'Illustration, 20 janvier 1906, n° 3282 (8 photos illustrées).

21. Photo-Gazette, 25 mars 1906 (3 photos publiées).

22. L'Art photographique, août 1906, n° 37. Publiée également dans Photo-Gazette du 25 novembre 1906.

23. In Catalogue Neudin, 1982.

24. Un Klapp Nettel Rullo 13 × 18, équipé d'un objectif Olor Berthiot f.5,7 de 210 m/m, viseur sportif, magasin à plaques. Ainsi qu'une Chambre Touriste 13 × 18 avec un objectif Dagor à f.6,8 de 180 m/m utilisant un chassis livre.

25. L'Illustration, 16 juin 1907, n° 3355 (1 photo publiée).

26. 48 cartes publiées par L.V. et Cie.

27. 39 cartes publiées par L.V. et Cie.

28. 50 cartes publiées.

29. 25 cartes publiées.

30. *Photo-Gazette*, 25 juin 1908.

31. *Photo-Gazette*, 25 août 1909.

32. *Photo-Gazette*, 25 juillet 1912, p. 161.

33. In *Cinquante ans d'élégance et d'art de vivre*, Cecil Beaton, Amiot Dumont Ed.

34. Acquisition du 10 décembre 1975 :
— 1904-1934 : 24 500 négatifs sur verre 13 × 18 et leurs tirages ;
— 1935-1939 : 12 500 négatifs sur film.

35. *Les Modes*, n° 256.

36. *Bulletin de la Société française de photographie*, avril 1921, n° 4. Candidature présentée le 18 mai 1921, parrainée par MM. Thomin et Gougé.

37. International Kinema Research, 6380 Hollywood Boulevard, Hollywood.

38. L'appareil Curt Bentzin a été acheté aux établissements Union pour 4 874 francs.

Fête foraine
Paris, 1900.

Fête foraine
Paris, 1900.

Fête foraine
Paris, 1900.

Spectacle forain
Paris, 1900.

Spectacle forain
Paris, 1900.

Fête foraine
Paris, 1900.

Fête foraine
Paris, 1900.

Fête des fleurs
Paris, 1907 à 1911.

Fête des fleurs
Paris, 1907 à 1911.

Fête des fleurs
Paris, 1907 à 1911.

Tramway miniature
Marseille, sans date.

Jardin des plantes
Paris, sans date.

Fillettes en tenue de tennis
Paris, sans date.

Bains de la Samaritaine
Paris, 1925.

Samaritaine
Paris, sans date.

Le Château de Madrid
Neuilly-sur-Seine
1928.

Rue Royale
Paris, 1931.

Le Clair de lune
Place Pigalle
Paris, 1927.

Harry's New York Bar
Paris, 1926.

Café de la Paix
Paris, 1925.

Café du Nord
Paris, avant 1910.

Quai du Marché-Neuf
Paris, sans date.

Goudronnage d'un trottoir
Paris, sans date.

Rue Georges-Berger
Paris, sans date.

Chargement quai du Louvre
Paris, sans date.

Pont-Neuf
Paris, sans date.

Inondations
quai de la Tournelle
Paris, 1910.

Inondations
Paris, 1910.

Inondations Pont-Royal
Paris, 1910.

Inondations
quai des Orfèvres
Paris, 1910.

Inondations
rue de Solférino
Paris, 1910.

Inondations
Paris, 1910.

Inondations
rue de Beaune
Paris, 1910.

Inondations
Paris, 1910.

Inondations
quai des Orfèvres
Paris, 1910.

Quai des Grands-Augustins
Paris, sans date.

Hôtel Lamoignon, rue Pavée
Paris, sans date.

Messageries maritimes
Paris, sans date.

Concierge
Paris, sans date.

Tondeur de chiens
Paris, sans date.

Fournil de boulanger
Paris, 1925.

Ouvrier coulant du plomb
sans date.

Vendeur de statuettes
Paris, sans date.

Montmartre
Paris, vers 1904.

Montmartre
Paris, vers 1904.

Montmartre
Paris, vers 1904.

Montmartre
Paris, vers 1904.

Montmartre
Paris, vers 1904.

Montmartre
Paris, vers 1904.

Montmartre
Paris, vers 1904.

Montmartre
Paris, vers 1904.

Montmartre
Paris, vers 1904.

Montmartre
Paris, vers 1904.

Montmartre
Paris, vers 1904.

Montmartre
Paris, vers 1904.

Montmartre
Paris, vers 1904.

Montmartre
Paris, vers 1904.

Vieille rue
Montpellier, sans date.

Cour Saint-Paul
Paris, sans date.

Cabourg
sans date.

Boulogne-sur-Mer
sans date.

Pêcheur raccommodant ses filets
sans date.

Marchandes de poisson
Dieppe, sans date.

Retour de pêche
Etaples, sans date.

Les Alyscamps
Arles, sans date.

Marché aux fruits
Marseille, sans date.

Marché des Lices
Arles, sans date.

Etablissement thermal
Royat, sans date.

Sources thermales Lucas
Vichy, sans date.

Femmes au travail sur la plage
Etretat, sans date.

Pêche aux crevettes et coquillages
Le Tréport, sans date.

La plage
Etretat, sans date.

Le Tréport (?)
sans date.

Le Havre
sans date.

Embarcadère
lac de Genève, sans date.

Bois de Boulogne
Paris, sans date.

Pêcheurs en barque
sans date.

La gare de Cannes
sans date.

Alpinistes
Chamonix, sans date.

Grand-Place
Arras, sans date.

Eglise Saint-François
Annecy, sans date.

Restaurant de la Réserve
Nice, sans date.

Le Pont-Transbordeur
Marseille, sans date.

Le Pont-Transbordeur
Marseille, sans date.

La caserne Gouvion-Saint-Cyr
Toulon, sans date.

Marins montant au tangon
Toulon, sans date.

Marins en barque
Toulon, sans date.

Marin du *Iéna* dans un hamac
Toulon, sans date.

Le Dépôt
1925.

Tour Eiffel
Paris, sans date.

CHRONOLOGIE

1839   Naissance à Woltferschewenden de Jean-Baptiste Séeberger.

1869.   Mariage à Saint-Galmier de Jean-Baptiste Séeberger et de Louise Peyrachon, née Vautrin, mère de Félicie.

1872   Naissance de Jules Séeberger.

1874   Naissance de Louis Séeberger.

1876   Naissance de Henri Séeberger.

1878   Naissance de Claudius Séeberger.

1890   Jean-Baptiste Séeberger s'installe avec sa famille à Paris.

1891   Pour les dix-neuf ans de son fils Jules, Jean-Baptiste Séeberger lui offre une trousse aplanétique.

1894   Décès de Jean-Baptiste Séeberger.

1895   Décès de Claudius Séeberger.

1898   Première photographie connue et conservée de Jules Séeberger, « Le porteur d'eau », prise à Montmartre.

1900   Jules Séeberger remporte le premier prix d'un concours de photographies organisé par le journal *Lectures pour tous*.
Henri Séeberger fonde son propre atelier de dessin.

1904   Jules Séeberger participe au premier concours de la Ville de Paris sur le thème « Les berges de la Seine » et obtient la médaille d'argent.

1905   Deuxième concours de la Ville de Paris sur les thèmes : « La Bièvre », « Montmartre », « Les jardins privés de Montmartre ». Jules Séeberger obtient la médaille d'honneur.
Publications dans *Photo-Gazette*, *L'Illustration*, *L'Art photographique*, *Photo pêle-mêle*.
Jules et Henri Séeberger participent au Xe Salon du Photo-Club de Paris ainsi qu'à une exposition internationale de cartes photographiques où ils obtiennent la médaille d'honneur hors concours.
Publication par les frères Kunzli éditeurs d'une série de cinquante cartes postales sur « Montmartre » et « Les jardins privés de Montmartre ».

1906   Louis Séeberger abandonne l'atelier de dessin Souchon pour rejoindre ses frères.
Les frères Séeberger participent au troisième concours de la Ville de Paris sur les thèmes « Le Marais » et « L'île Saint-Louis ».
Publications dans *L'Illustration*, dans *Photo-Gazette*.
Jules Séeberger participe au XIe Salon du Photo-Club de Paris. Une de ses photographies, « La chapelle des Alyscamps », est publiée dans *Photo-Gazette*.
L'éditeur Léopold Verger publie une série de vues parisiennes et leur passe commande d'une série de cartes postales sur la France.
Premiers voyages à travers la France pour le compte de Léopold Verger : Alpes, Normandie, Midi méditerranéen, couloir rhodanien.

1907   Quatrième concours de la Ville de Paris : « Demeures de banlieue », « Jardin des Plantes », « Le Luxembourg ». Les Séeberger présentent plus de 300 photographies et obtiennent la médaille d'or hors concours.

Publications dans la revue *Art décoratif*.

Jules Séeberger participe au Salon national avec des encres grasses en couleur. L'une d'entre elles sera publiée dans *Photo-Gazette*.

Publication dans *L'Illustration* d'une photographie extraite d'un reportage sur la « fête des fleurs ».

Poursuite des voyages à travers la France : Midi méditerranéen, Massif central, Normandie, îles anglo-normandes.

1908 Mme de Broutelles, directrice de *La Mode pratique*, commande aux frères Séeberger des reportages sur la mode et l'élégance sur les champs de courses.
Jules Séeberger participe au Salon international avec quatre portraits à l'huile en couleur qu'il signe cependant « J.H.L. Séeberger ».
Publication d'une série de cartes postales sur la « jupe culotte », édition du couturier Laborde.
Publication de cartes postales pour L. Verger et les frères Staerck.

1909 Jules Séeberger expose six huiles en couleur au Salon international de la rue de Volney. L'une d'elles est publiée dans *Photo-Magazine*.

1910 Jules Séeberger expose deux huiles en couleur au Salon international. L'une est publiée dans *Photo-Gazette*.
Reportage sur les inondations de Paris, publié sous forme de cartes postales par les frères Staerck.
Henri Séeberger commence une série de reportages industriels pour *Le Monde et la Science*, éditeur Schwartz. Ce travail se prolonge jusqu'en 1914.
L'atelier Séeberger quitte la rue Fénelon et s'installe rue de Chabrol.
Naissance le 10 août de Jean, premier fils de Louis Séeberger.

1911 Première apparition de la signature « Séeberger Frères » dans *La Mode pratique*.

1912 Conférence de Jules Séeberger au Cercle des amateurs photographes sur le procédé de l'huile en couleur : conférence publiée et illus-

trée de quatre photographies en couleur dans *Photo-Gazette*.

1914 Louis et Henri Séeberger sont mobilisés.
Naissance le 31 octobre d'Albert Séeberger, deuxième fils de Louis.

1917 Henri Séeberger est blessé à Verdun.

1919 Démobilisation. Reprise des activités sur l'élégance et les mondanités. Henri et Louis assurent l'essentiel de ce travail.

1920 Jules Séeberger délaisse de plus en plus l'atelier pour la peinture et présente cinq toiles au Salon des indépendants. Un article lui est consacré dans *La Revue moderne des arts et de la vie*.

1921 Jules Séeberger adhère à la Société française de photographie.

1922 Pour son premier numéro, *Le Jardin des modes* fait appel à leur collaboration.

1923 Commande de l'agence International Research Kinema de Hollywood, travail qui se prolongera jusqu'en 1931.

1927 Début de Jean Séeberger dans l'atelier.

1930 Collaboration avec le *Harper's Bazaar* et *Vu*, la revue de Lucien Vogel. Reportages touristiques pour le *New York Herald Tribune*.

1931 Début d'Albert Séeberger dans l'atelier. Achat d'un Rolleiflex.

1932 Mort de Jules Séeberger.

1933 Année de pleine activité : *Vogue, Candide, L'Echo de Paris, L'Excelsior, L'Intransigeant, Pantagruel, Le Figaro, L'Art et la Mode, Votre beauté, Rester jeune...*

1935 Commande d'*Adam* et de *L'Officiel de la couture*.

1939 La guerre : Jean et Albert sont mobilisés. Première fermeture de l'atelier.

1941   Jean et Albert démobilisés relancent la maison, qui ne fermera définitivement que trente-six années plus tard, en 1977.

1946   Décès de Louis Séeberger.

1956   Décès d'Henri Séeberger.

1975   Acquisition par la Bibliothèque nationale de 37 000 négatifs et tirages sur la mode.

1979   Décès de Jean Séeberger.
        Publication de *La France 1900 vue par les frères Séeberger*, éditions Belfond.

1980   Exposition « Les Parisiens au fil des jours, 1900-1960 », Bibliothèque historique de la Ville de Paris.

Photocomposition, mise en page : La Manufacture.
Impression Albagraf - Rome